Hotel Bruce

Ryan T. Higgins
Traducción de Adolfo Muñoz

ANAYA

Para Cecilia, el bicho más mono de todo el bosque

Publicado originalmente en Estados Unidos y Canadá por Disney • Hyperion Books con el título HOTEL BRUCE.
Esta traducción ha sido publicada gracias a un acuerdo con Disney • Hyperion Books.

Juan Ignacio Luca de Tena, 15. 28027 Madrid
www.anayainfantilyjuvenil.com
e-mail: anayainfantilyjuvenil@anaya.es

Primera edición: octubre 2019
ISBN: 978-84-698-4875-3
Depósito legal: M-17176-2019

Impreso en España - Printed in Spain

Bruce era un oso

que vivía con cuatro gansos...

… a regañadientes.

Pero él era su mamá.

Por eso cada invierno se iba al sur con ellos.

BIENVENIDOS
A
LA PLAYA
¡Cua!
¡Cua!
¡Cua!
¡Cua!
¡Cua!

Él preferiría hibernar.

Viajar (y ser madre) es difícil para un oso.

Por eso Bruce estaba
cansado y gruñón.

Y por eso, cuando Bruce regresó
una primavera a casa y vio que
unos ratones la habían convertido
en hotel...,

... no le hizo
ninguna gracia.

No estaba de humor para roedores.

Los echó de la casa y se fue a la cama.

Y entonces empezaron los problemas.

Fue una noche larga.
Se está quedando con toda la manta.
¿Me trae un vaso de agua?
Quiero un achuchón.
Me hago pipí.

A la mañana siguiente, Bruce se despertó
con el piar de los pájaros...
pío
¡PIII!
y el parloteo de las ardillas...
y la pelea de almohadas
de las comadrejas.

¡GRAJ!

Y la cosa no hizo
más que empeorar.

¡Para que os bañéis!
¡Las verduras y especias
dan brillo al caparazón!

¡Gracias por elegir el hotel
El Bosque del Norte!
¡Esperamos que
haya disfrutado de
su estancia!
Nuestros botones
se encargarán de
su equipaje.

Bruce lanzó rugidos.

Gruñó.

Y pidió hablar
con el director.

Los ratones se retiraron un momento a otra habitación.

Regresaron, dos de ellos
con corbata.

Los interrumpió un alboroto que venía de la cocina.
¡Sálvese quien pueda! ¡La sopa de tortuga se ha estropeado!

Estaba todo hecho un desastre...

y las tortugas le habían
cogido sus mejores cubiertos.

Bruce empezó a perder la calma.
¡GRUAJ!
Lo siento. No entiendo su acento.
Quizá tendríamos que buscar un intérprete.

Los gansos intentaron suavizar la situación.

Y los ratones comprendieron...

... más o menos.

Y cuando parecía que las cosas
ya no podían empeorar...,

... empeoraron.

Era la gota que colmaba el vaso.

Sí..., una gota
de muchas toneladas.

Y Bruce perdió los nervios.

¡ESTO NO ES UN HOTEL!
¡ESTA ES MI CASA!
¡¡¡FUERA TODO EL MUNDO, AHORA MISMO!!!

¡FUERA!

¡Uf! Creí que no
iban a irse nunca.

La casa de Bruce volvía a ser
un lugar tranquilo, relajado.

Sin visitas...

¿Cua?
¿Cua?
¿Cua?

... al menos
por un rato.